LA RELATION
D'AIDE

Directeur de collection : Robert Davies
Directrice de fabrication et design : Madeleine Hébert

Dans la même collection

La façade, Jim Cole
Les contrôleurs, Jim Cole
Tout ce que l'homme sait de la femme, M.I. Sogine

traduit de l'américain par
Lise Duguay et Léo-Paul Bouchard

L'Étincelle est une collection de Services Complets d'Édition (SCE)

POUR RECEVOIR NOTRE CATALOGUE, IL SUFFIT DE NOUS
FAIRE PARVENIR UNE DEMANDE À L'UNE DES ADRESSES SUIVANTES:

SCE-Canada, C.P. 702, Station Outremont, Québec, Canada H2V 4N6
SCE-France, 70 avenue Émile-Zola, 75015 Paris, France.

Jim Cole

Illustrations de

Tom Woodruff

LA RELATION
d'AIDE

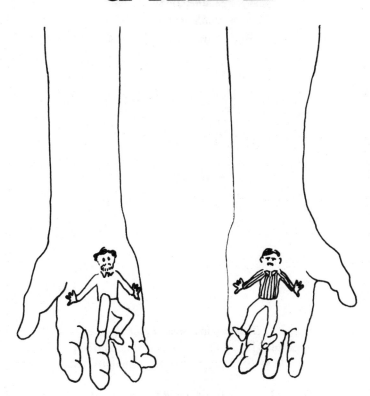

L'Étincelle

Montréal–Paris

DIFFUSION

Canada: Médialiv
1975 Bd Industriel
Laval, Québec H7S 1P6
Tél. [514] 629-6001

France: SCE-France
70, avenue Émile Zola
75015 Paris
Tél. 45.75.71.27

Belgique: Presses de Belgique
96, rue Gray
1040 Bruxelles

Suisse: Diffulivre
41, Jordils
1025 St-Sulpice

Titre original: *The Helpers.*
Copyright ©1973 Jim Cole pour l'édition originale.
Copyright © 1979 SCE Inc. pour l'édition française.
Tous droits réservés
Dépôt légal 4e trimestre 1979 Bibliothèque nationale du Québec.
ISBN 2-89019-157-5

Au début j'étais démuni.

On faisait tout pour moi.

Plus je m'arrangeais tout seul,
moins on m'aidait.

J'aimais faire les choses
par moi-même

mais je me sentais délaissé

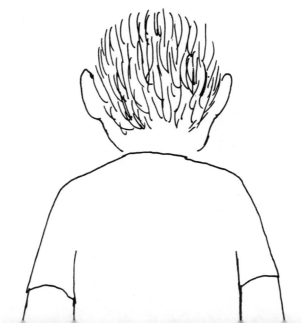

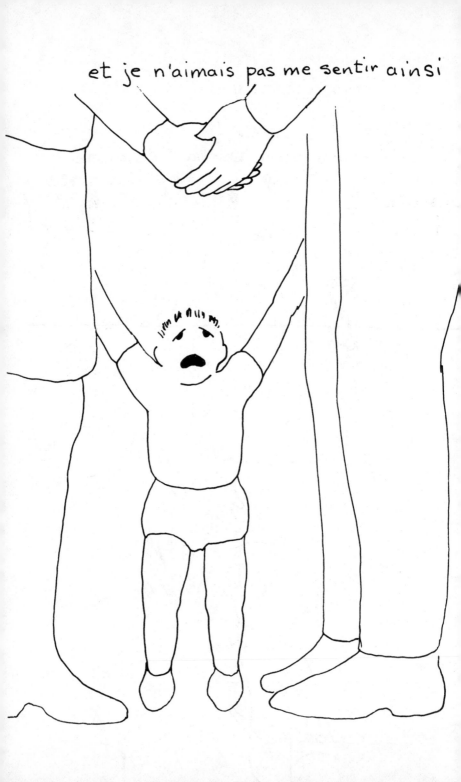

Personne ne voulait
que je l'aide

J'ai donc commencé à jouer à la personne démunie.

Il m'est plus facile de jouer
à la personne démunie
que de demander
qu'on ait besoin de moi.

Parfois quand je me sens seul,
je joue à la personne démunie.

Quelqu'un m'aide
et je me sens désiré

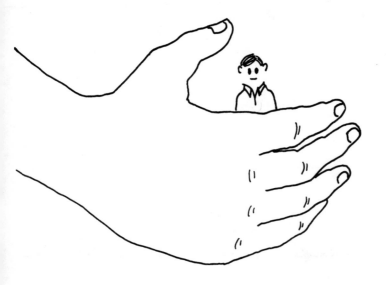

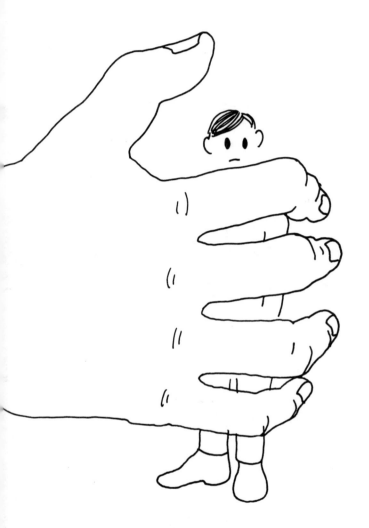

C'est alors que je commence
à me sentir vraiment démuni.

Dans cette relation, je sens qu'on s'occupe de moi seulement quand je suis démuni.

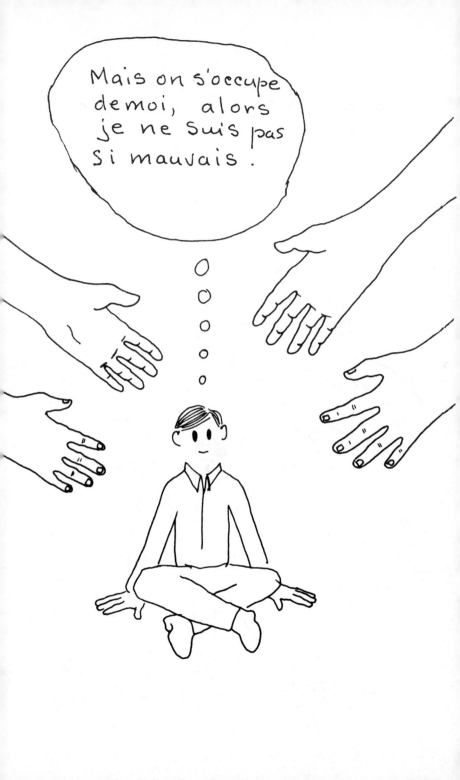

Quelquefois après m'être montré démuni, je le regrette.

Parfois leur façon de m'aider
me fait mal et je crie.

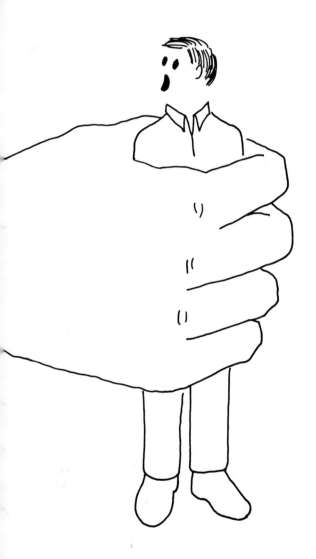

C'est pour ton bien.
Un jour tu apprécieras ce que je fais pour toi.

Il m'arrive de voir s'approcher
ceux qui veulent m'aider

et je ne veux pas
me sentir démuni

et je me sens un peu mieux.

Quelquefois je me sens bien
d'être aidé.

A d'autres moments,
je n'aime pas
me sentir démuni

alors je m'échappe pour
faire les choses par moi-même

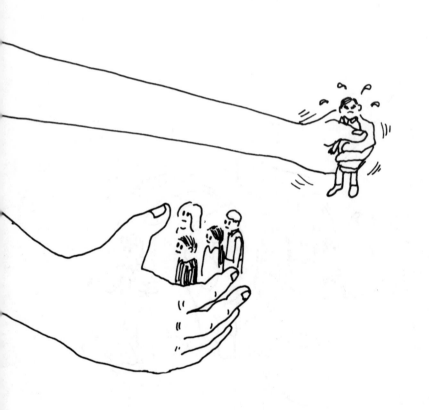

mais on me reprend.

Parfois je m'échappe et
on ne me reprend pas.

Alors je suis
laissé à l'écart.

Si je l'aide
je ne serai plus seul.

J'ai peur de ne pouvoir l'aide

et j'ai peur qu'il s'en aille

alors je fais semblant
que je peux l'aider

et j'essaie vraiment.

et ça me fait mal.

Je veux écouter l'autre
et me sentir désiré

mais je ne veux pas
avoir mal

alors je me munis
de sauveteurs
pour me protéger.

Ces sauveteurs me permettent d'aider à régler les problèmes des autres sans sentir les miens

et de dire, "je suis
différent de toi."

Nos sentiments semblent différents quand je mets les sauveteurs entre nous.

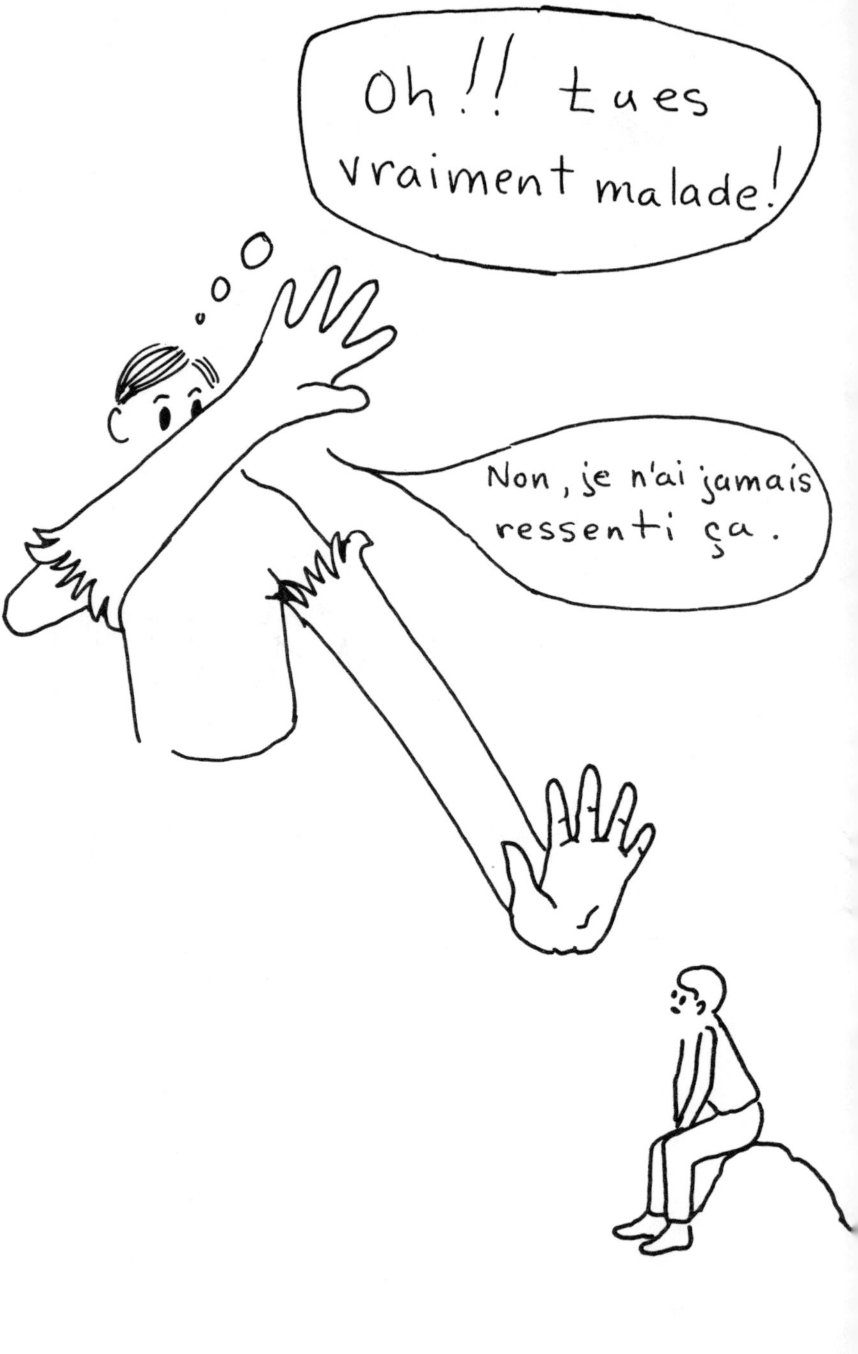
Oh !! tu es vraiment malade !
Non, je n'ai jamais ressenti ça.

Après un certain temps,
j'oublie que les sauveteurs
ne font pas partie de moi

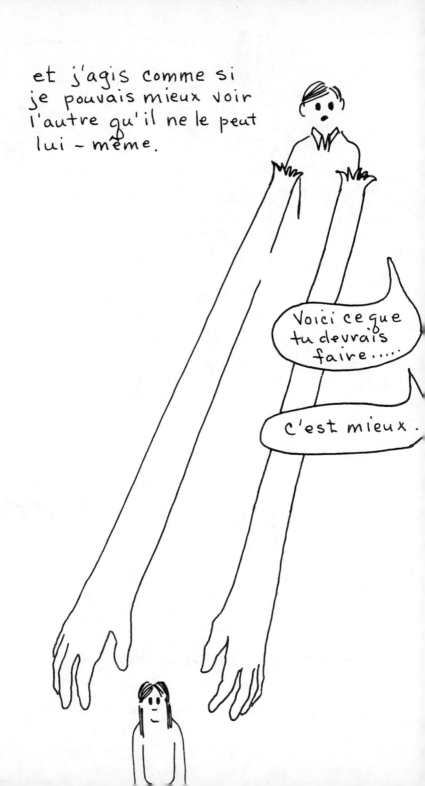

Parfois ceux que j'aide
ne comprennent pas
mon aide

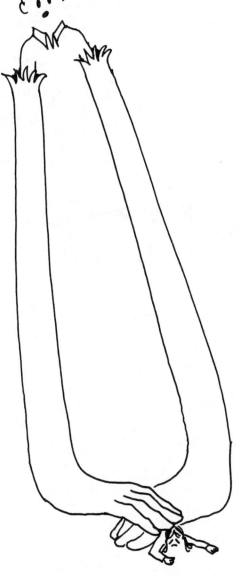

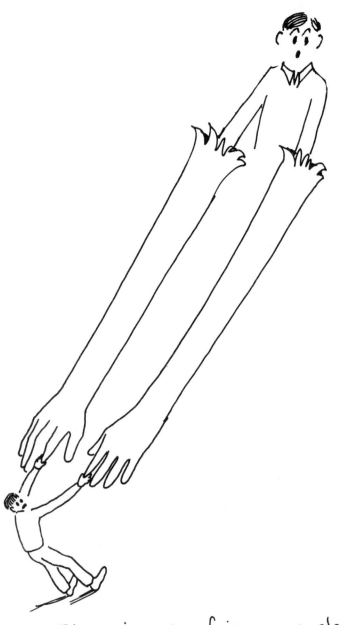

Il arrive parfois que quelqu'un
essaie de m'arracher
mes sauveteurs

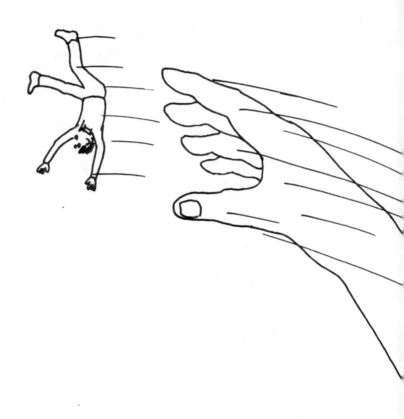

et ça me fait peur.

Quelquefois on agit comme si
on n'avait pas besoin de moi

et ça me fait peur.

Parfois je ne suis pas sûr de moi

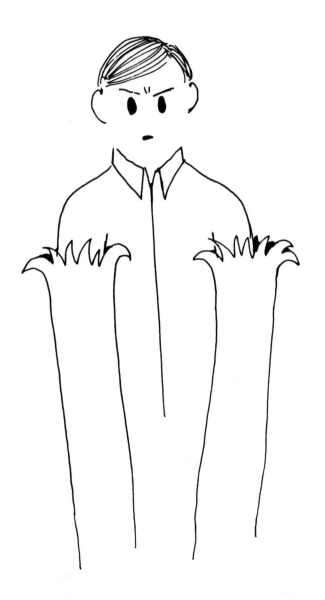

Mes propres doutes me font peur

alors je crie, " ça va très bien!"

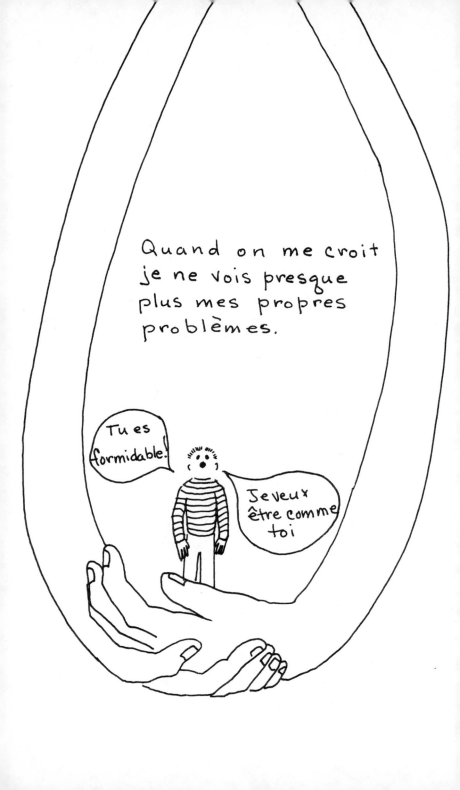

Ceux que j'aide m'apparaissent démunis et vulnérables

alors j'essaie de leur cacher ces sentiments

et j'y arrive pendant
un certain temps

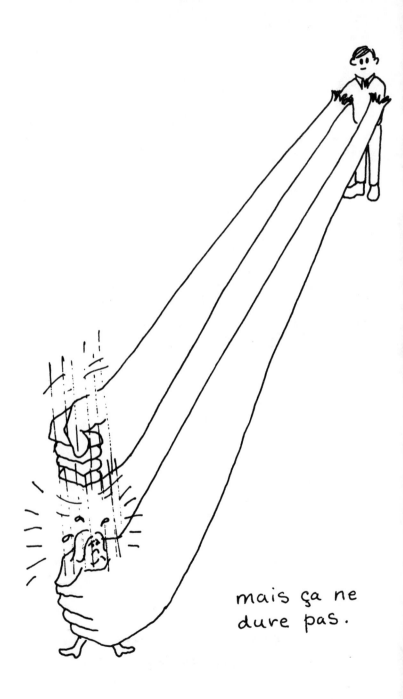

mais ça ne
dure pas.

Parfois j'ai besoin d'aider quelqu'un

et ils refusent mon aide

alors je les convaincs

puis je les aide.

Parfois je suis seul.

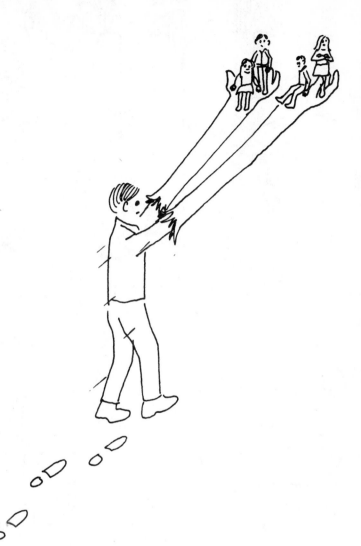

Je cherche quelqu'un
qui comprendrait
comment je me
sens

Il arrive que des gens
recherchent mon aide

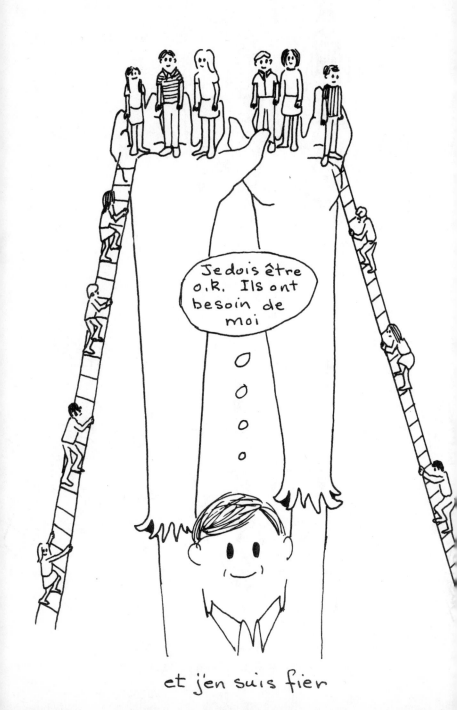

et j'en suis fier

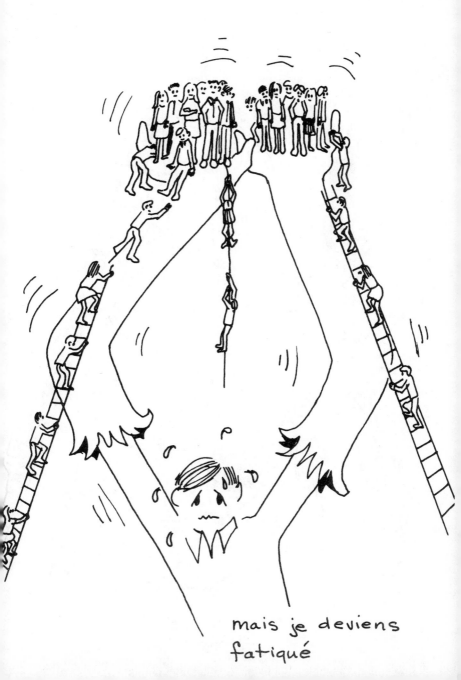

mais je deviens
fatiqué

et incapable de
les aider tous

et je me sens dépassé.

Qu'est ce que je veux vraiment?

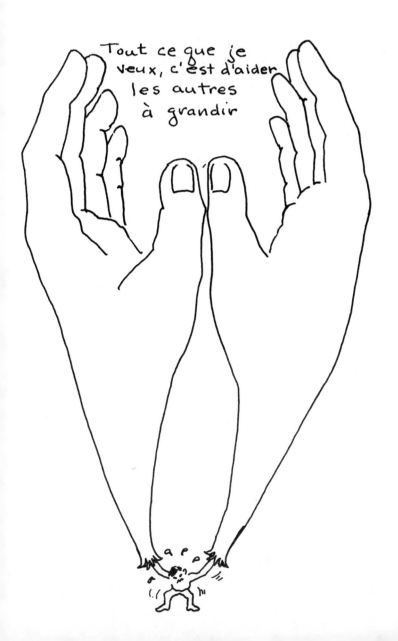

J'essaie d'aider tout le monde

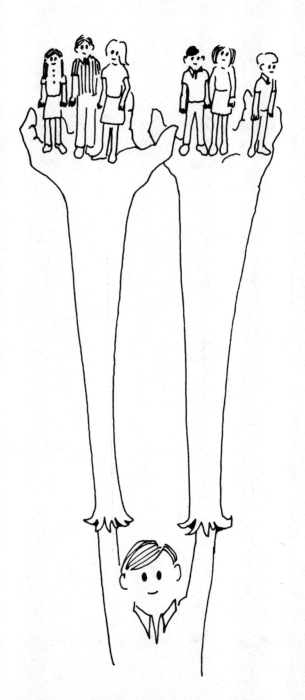

mais je ne
peux pas

parcequ'ils ne me laissent pas faire.

Parfois je les vois aller chercher l'aide d'un autre.

Je me sens blessé
et fâché.

Je me demande
pourquoi.

Je me suis
toujours perçu
comme celui
qui les soutena

Maintenant je vois
à quel point c'était
eux qui me
soutenaient.

Je ne peux pas rester
au-dessus de ceux que
j'ai de vraiment à grandir.

Quand ils n'avancent pas
dans leur croissance,
je ne les ai pas aidés

et je me sens mal.

Parfois je me rends compte
de ce que je suis en train
de faire et j'arrache les
sauveteurs

pour découvrir qu'un autre
y cache ses problèmes

mais il n'y arrive pas
à moins que je ne
l'aide.

Je suis o.k. et eux aussi.

Sans sauveteur
les autres ne
semblent pas
si démunis

alors je n'ai pas
besoin de sauveteurs.

Sans le poids des sauveteurs je peux écouter et poser les les vraies questions.

Quand ce que j'essaie
ne marche pas

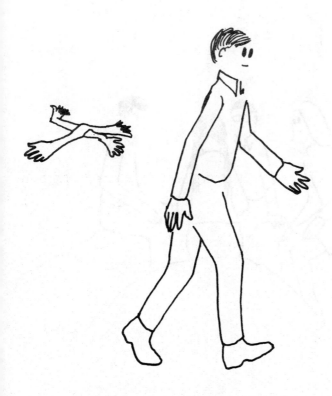

Je ne suis pas écrasé
par les sauveteurs.

Je suis libre de
chercher et d'écouter

parce que je ne prétends
pas avoir toutes les
réponses.

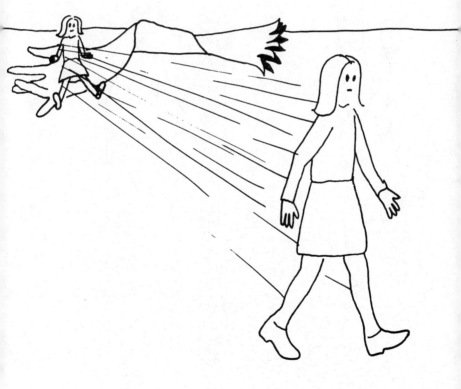

et l'autre cesse d'attendre
les sauveteurs pour résoudre
son problème

et nous sommes libres de chercher
ensemble une solution.

Quand je n'ai pas besoin
d'aider l'autre et que
celui-ci n'a pas besoin
de se montrer démuni

nous grandissons
ensemble.

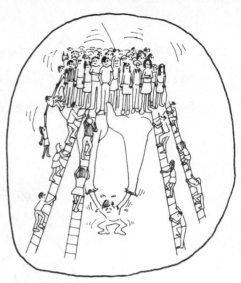

Mais quand je sentais qu'on avait besoin de moi c'était seulement pour ce que je prétendais être

et je ne me sentais jamais à l'aise.

Quand j'arrête vraiment de me
montrer tel que les autres
aient besoin de moi

Je découvre que c'est de moi
dont j'ai besoin et que je dois
être honnête envers moi-même.

Je suis content de moi
quand je sais que j'ai le
courage de ne plus porter
de sauveteurs.

Plus j'ai le courage
de vivre sans sauveteur,
plus je me rends compte
que je n'ai pas besoin
de jouer à aider
ou à être aidé
pour m'épanouir
avec les autres.